Des Fibre
pas coumadin
Vendredi
Samedi 2. mg_
prise de Sang jeudi

jeudi

# Que manges-tu?

## Ton corps te parle

Cet ouvrage a été publié en langue anglaise sous le titre original:
YOUR BODY SPEAKS OUT ABOUT YOUR NUTRITION
Published by Encom Graphic s Inc.
Pour informations: Docteur John F. Demartini
Demartini Chiropractic Family Center
13 155 Westheimer, suites 109, 110
Houston, Texas 77077 Tél.: (713) 556-1234
Copyright © 1984 by John F. Demartini

©, Les éditions Un monde différent ltée, 1991
Pour l'édition en langue française

Dépôts légaux: 1er trimestre 1991
Bibliothèque nationale du Québec
Bibliothèque nationale du Canada

Conception graphique de la couverture:
SERGE HUDON

Version française:
BERNARD GAGNON

Photocomposition et mise en pages:
COMPOSITION MONIKA, QUÉBEC

ISBN: 2-89225-175-3

# John F. Demartini

# QUE MANGES-TU?

## TON CORPS TE PARLE

Les éditions Un monde différent ltée
3400, boulevard Losch, bureau 8
Saint-Hubert (Québec)
Canada J3Y 5T6
(514) 656-2660

*À quiconque cherche à se faire
pardonner ses abus*

# Remerciements particuliers

À mes parents exceptionnels, monsieur et madame A.G. Demartini, pour leur amour et leur inspiration;

À mon épouse bien-aimée, madame Denise Demartini, pour son soutien;

À mon garçon si ingénieux, Damian, pour sa patience;

Au docteur Douglas G. Charles, mon vénérable associé;

À monsieur Larry Schmidt, un véritable ami;

À monsieur Glenn Pliszka, écrivain aux talents variés;

À madame Kelly McReynolds qui mène le peloton;

À madame Holly Whittaker qui protège les arrières;

À nos patients merveilleux et nombreux;

À tous ces auteurs dévoués qui se sont consacrés à la recherche et qui ont écrit avant moi.

# Table des matières

# Préface

On dit souvent de certaines des vérités les plus profondes et les plus édifiantes de la vie qu'elles sont les plus simples. Telles sont les idées avancées dans ce livre par le docteur Demartini. Veuillez ne pas vous laisser distraire par le côté léger de la présentation. Cette œuvre résume plusieurs années de recherches, d'observations et d'expérimentations.

Je dois admettre qu'en toute justice, lorsque j'ai vu pour la première fois la mise en application de son programme, je l'ai trouvé exagéré et réduit à une perspective quelque peu étroite. Cependant, dans les huit mois qui ont suivi, j'ai trop souvent constaté les bienfaits miraculeux de ce mode de vie pour en minimiser l'importance: Il a littéralement sauvé des vies!

Je suis fier de m'associer à un médecin aussi intuitif et dynamique. Au nom de ses patients passés, présents et à venir, je voudrais lui dire: «Merci, John.»

*Douglas G. Charles, D.C.*

# Introduction

La plupart d'entre nous percevons à l'occasion les messages internes ou externes de notre corps, les uns plus subtils, les autres plus criants. Ce sont là des directives murmurées doucement ou exprimées brutalement qui nous disent: «Encore une bouchée, espèce de fou, tu as le ventre plein!» Nous sommes quelques-uns à noter ces révélations infuses, surtout lors de certaines occasions à caractère social: «N'en mets pas trop tout de suite, tu n'en es qu'à ta première rencontre, attends de savoir si elle t'aime.»

Imaginez pouvoir décoder les signes bienfaisants de nos corps et suivre leurs indications, bien avant d'être acculés à la retraite; voyez aussi la possibilité de capitaliser sur certaines causes de nos maladies quotidiennes: «Ces maudits gaz! J'ai encore engraissé de cinq kilos, comment se fait-il? Pourquoi moi?» Rappelons-nous ces moments d'exagération volontaire, avant l'apparition des symptômes: «J'ai trop mangé de cette satanée pizza au fromage hier soir! Me voilà constipé et pris avec des hémorroïdes; quand cela va-t-il finir?» Commençons par noter nos mauvaises habitudes et ensuite nous dégagerons les problèmes chroniques et frustrants de nos vies.

Il nous faut prendre conscience dès le début que nous sommes les seuls maîtres de nos vies, que celles-ci seront agréables ou désagréables selon notre manière d'aborder les expériences de chaque jour. Voyons le cas, par exemple, où nous nous réveillons à 6 h 30 le matin, gonflés, fatigués, avec un taux de sucre trop bas dans le sang, ainsi que la bouche sèche doublée d'une haleine fétide. Si nous prenons pour acquis qu'ainsi va la vie, que ce doit être convenable puisque tout le monde le fait, nous ne songerons jamais à réorienter nos vies en vue d'éliminer ces indispositions communes et désagréables.

Tard hier soir, avons-nous mangé trop d'aliments au point de nous défoncer ou trop de sucreries au point de perdre conscience? L'avons-nous fait trop vite ou alors que nous étions dérangés ou en colère? Il est bien possible que nous découvrions, grâce à un examen attentif, une relation de cause à effet entre les sentiments qui nous habitent et la façon que nous avons de mener nos vies. C'est une route à deux voies qui peut nous conduire, si nous n'y prenons garde, à des cycles dépressifs, nombreux et vicieux.

Ce livre est issu du simple plaisir de l'écrire. Il semble que peu d'entre nous soient intéressés à discuter d'un sujet aussi vital et c'est à la demande de bien des amis que je lui ai donné cette tournure sans prétention. Si j'ai l'air d'avoir «les deux pieds sur Mars» , je m'en excuse; j'espère simplement que ce bouquin vous amusera et qu'il vous aidera à acquérir une meilleure connaissance de vous-mêmes.

# Chapitre I

# Du commencement à la fin

Au commencement était le verbe: ce verbe était «manger», jour et nuit. La nourriture fut créée et évolua pour le simple plaisir de prendre de la dimension. Le troisième jour, les cieux se déchirèrent sous l'influence des gaz, et la lumière fut. De la lumière surgit Digels et l'homme alors se reposa. Au moment où il se leva après son premier rot, l'homme dit que cela était bon. Ce fut là le jour de ses premières douleurs aux côtes.

Le lendemain, l'homme grignota quelques pommes et s'acheta de nouveaux vêtements pour couvrir la chair par où il avait péché. Pris de nausées et vêtu d'habits plus amples qu'à l'habitude, il crut par erreur qu'il était seul. Mais, même s'il était embarrassé, il n'eut pas un moment à lui de toute la journée et il vécut une expérience d'expansion. Alors les cieux s'ouvrirent et tout lui parut bon.

Au moment de se retirer, le septième jour, une idée lui vint soudainement. L'homme a été conçu tel un hologramme et il possède en lui la solution de ses propres malaises. Sa vision se prolongea ainsi:

La vie est un don, que l'on soit gaucher ou droitier.

Vivre c'est accepter et l'aveugle, et le sourd.

La vie est cyclique avec des hauts et des bas.

La vie, c'est encore les gens, grands et petits.

Les extrêmes mettent à jour toute notre confusion.

Les extrêmes nous révèlent ceux que nous devrions bénir.

Manger est un plaisir et quelquefois un gâchis.

Et nous devons admettre qu'il en est ainsi dans nos maisons.

Imaginez un monde de bien-être où tous connaîtraient les lois de la terre, un monde où les hommes transformeraient l'incurable en curable en leur for intérieur, un monde où ils auraient découvert, derrière leur responsabilité personnelle, la Reine du temple.

De son trône, sa parole coulait comme un chant

Jusqu'à ce qu'elle remarquât une phase de la Lune

Elle s'écria qu'il valait mieux se soumettre à ses lois

Et vivre en harmonie, avec les instruments de son Dieu d'amour.

Elle nous dit que manger était, de fait, primordial

Et qu'au lieu d'abuser, tous devraient être à l'écoute de leurs besoins.

Un cycle commence toujours par une routine quotidienne

Voilà ce qu'il faut pour obtenir une chevelure éclatante.

Suivre le soleil comme une fleur épano

Manger régulièrement le soir, le matin, l

Qu'il s'agisse de trois ou six repas, toujou.₃ à la même heure, chaque jour

C'est important si nous voulons fonctionner

Si ce rythme est respecté et suivi jusqu'à ce jour

Il n'y aura plus ni gonflements, ni crampes, ni borborygmes.

La vie oscille en cycles de hauts et de bas. Elle se répète dans des rythmes quotidiens, allant de périodes de repos et de relaxation à des moments d'activités physiques et intellectuelles. Il y a un temps pour manger, un autre pour l'abstinence.

S'ajuster à ces rythmes se révèle comme une clé importante de la vie. Notre monde est comme un orchestre composé de tous ses instruments. Cette simplicité de la musique est l'une des grandes leçons à apprendre. Par ailleurs, considérant ces rythmes de façon différente, nous remarquerons que ces flux et reflux cycliques révèlent un mécanisme naturel profondément inné.

Quand nous mangeons trop, nous perdons l'appétit. De même, lorsque nous ne mangeons pas assez, nous éprouvons une grande faim. C'est là une bonne façon qu'a notre moi intérieur de nous révéler nos actions passées. Ces cycles de va-et-vient sont parfois extrêmes comme dans les cas d'obésité et d'anorexie. Ils apparaîtront cependant modérés si nous considérons quelqu'un qui est bien dans sa peau. Selon le point de vue de la philosophie orientale, beaucoup trop mène à trop peu tandis que trop peu nous ramène à beaucoup trop. Cela se comprend aisément chez ces personnes qualifiées de «yo-yo». Est-ce que cela vous semble familier?

«Vendredi soir, j'ai mangé comme un porc pour ensuite me sentir coupable. J'ai donc fait du jogging et me suis mis à travailler très tôt samedi matin jusqu'à épuisement, tout en me répétant de ne pas manger de la journée afin de compenser pour mes excès de la veille. Le résultat? Une fatigue qui m'a creusé l'appétit davantage et fait chuter au plus bas mon taux de sucre dans le sang. C'est alors que je me suis remis à dévorer comme un porc!»

«Samedi soir, je ne suis pas sorti et je n'ai rencontré personne, ne pouvant enfiler mes vêtements à cause de ma bedaine.» Cela arrive à tout le monde à un moment ou à un autre. Voilà ce qui se passe lorsque nous n'écoutons pas avec bienveillance et attention les plaintes de notre corps. Il est naturel pour l'animal de passer d'un extrême à l'autre. Apprenons à utiliser cela pour notre propre compte. La modération apparaît de toute évidence comme la clé.

Nous entendons souvent parler de ces nouvelles diètes plutôt drastiques qui se répandent dans le pays comme le feu. Plusieurs de ces régimes offrent quelques bons points à leur crédit, mais la plupart finissent par dérégler les mécanismes normaux de l'individu. Il n'existe malheureusement aucune diète, excessive ou restreinte qui puisse s'adapter parfaitement à tout le monde. Si un surplus ou un manque de n'importe quel type d'aliments est source de bien des problèmes, il est certain qu'un tel surplus suivi d'une carence provoque encore plus de difficultés, comme le démontre l'exemple ci-dessus. Le rythme et la modération sont les deux diapasons dont nous devrions disposer à table.

Examinons maintenant les abus les plus fréquents que notre corps supporte et analysons-en les conséquences.

## Chapitre II

# Les 26 abus les plus répandus

---

## 1

### *Manger à la hâte ou sur le pouce*

---

La plupart d'entre nous avons vécu cette situation à un moment ou l'autre de notre vie. Rappelons-nous ces matins où nous nous sommes éveillés en retard ou encore ces casse-croûte du midi pris sur le pouce et avalés en trente minutes. Oui, cela semble se produire constamment tout autour de nous.

Du service rapide à l'auto à ces distributeurs de friandises vers lesquels nous nous dirigeons, il semble que nous n'ayons pas le temps d'avaler et encore moins de communiquer.

Plusieurs d'entre nous avons connu de ces personnes qui engouffrent leur boustifaille sans l'avoir goûtée, avant même que leur hôte ait assaisonné, coupé ou mélangé leur portion. C'est comme s'ils étaient pressés d'attraper un train ou un autobus. Qu'est-ce qui se passe à l'intérieur de nous alors? Cela gêne certainement la digestion et nous prédispose aux gonflements, à l'inconfort et certainement à des douleurs abdominales ou thoraciques. Les aliments

, c'est reconnu, causent toutes sortes de – des allergies jusqu'aux maux de tête – et plus e. Plusieurs des douleurs qui se manifestent partout dans notre corps sont attribuables à des aliments mal digérés et il est certain que le fait de manger trop vite peut nous prédisposer à de tels maux. Il s'agit là d'un extrême et nous savons maintenant ce que cela peut déclencher.

Qu'en est-il du fait de manger trop lentement? Est-ce possible que cela puisse représenter un problème? Oui! Si nous prenons trop de temps pour manger, nous serons peut-être repus avant d'avoir absorbé les éléments nutritifs nécessaires. Il se peut également que la quantité de fibres essentielles ou la valeur alimentaire des denrées que nous consommons soient inférieures à ce qu'exige notre rythme quotidien. Avez-vous déjà remarqué cette jeune fille ou ce jeune garçon de huit ans qui mange du bout des dents, n'avalant que trois bonnes bouchées en l'espace d'une demi-heure? Considérez le stress que ces personnes développent car leurs êtres chers les supplient de se dépêcher et de finir: «Lambin, tu prends toujours trop de temps» . Il arrive quelquefois que le stress psychologique l'emporte sur les bienfaits de la nutrition. C'est un élément qu'il nous faut toujours considérer.

*Manger à la hâte ou sur le pouce.*

## 2

### *s sommes bouleversés ou*
### *s qu'il vaudrait mieux*
### *en abstenir*

Qui n'a pas vécu une querelle avec une personne bien-aimée ou quelqu'un d'autre, au cours de sa vie? C'est toujours un peu notre lot à un moment donné. Mais ce n'est pas là, par contre, le meilleur temps pour manger ou digérer. Ce nœud émotionnel bien connu qui se loge au fond de notre estomac est notre signal d'alarme nous avertissant de ne pas manger. Nous apprenons ainsi que notre système nerveux est tourmenté et qu'il serait préférable d'éliminer nos tensions avant de nous asseoir pour consommer. Si nous n'en tenons pas compte, il est certain que l'indigestion surviendra une fois de plus. Plusieurs états émotifs extrêmes nous mènent de la dépression et la peur jusqu'à l'anxiété et la frustration. Chaque état émotif extrême joue différents accords sur notre système nerveux et, en fin de compte, sur notre digestion. La dépression et la peur peuvent nous constiper alors que la frustration peut déclencher une diarrhée. Dans les deux conditions, cela représente un fardeau. L'idéal, c'est d'être détendu, à l'aise et avec notre famille nos amis. Ceci nous amène à considérer une autre facette importante: Apprécier la compagnie de ceux qui mangent avec nous. Plusieurs des membres d'une famille sont constamment dispersés et mangent rarement ensemble; cela crée un vide. Il est certes plus recommandable de ne pas toujours manger seul. Évidemment, les restaurants bondés laissent beaucoup à désirer. La modération et la relaxation sont les clés.

Le diagramme (sur la page suivante) nous montre les mécanismes par lesquels nos émotions peuvent affecter notre système digestif; ce qui peut en retour nous mener à des réflexes malheureux. Pour plus de références sur les réflexes, voir le chapitre III.

*Manger quand nous sommes bouleversés.*

# QUE MANGES-TU? TON CORPS TE PARLE

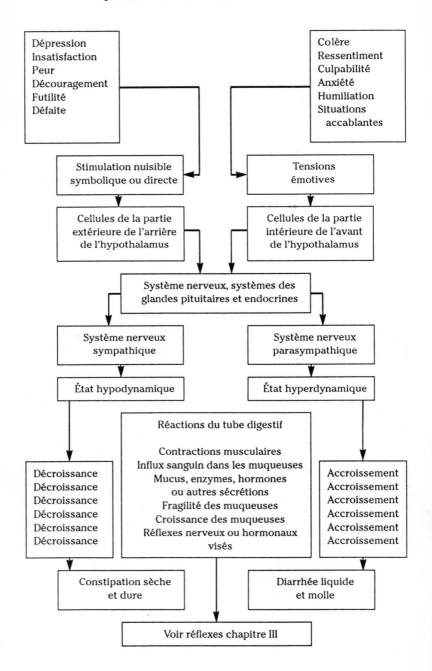

# 3

## *Manger parce que c'est l'heure, même si nous sommes repus*

Il s'agit là d'un phénomène courant dont la multitude de personnes avec un kilo ou deux en trop en sont les preuves vivantes. Oui, le rythme et le moment opportun sont importants, mais bien souvent nous mangeons beaucoup trop pendant un repas et ensuite, parce que c'est l'heure du dîner, nous mangeons encore en abondance. Cela provoque inévitablement une respiration difficile, des gonflements, un inconfort et une maladie répandue: l'hernie hiatale. Cette dernière est souvent confondue avec une crise cardiaque et est beaucoup plus commune qu'on ne le croit. Demander à quelqu'un de faire du temps supplémentaire amènera éventuellement de l'animosité et finalement, de la révolte. Il en est de même de nos estomacs, ils veulent des périodes de temps libre, ils travaillent trop.

*Manger parce que c'est l'heure, même si nous sommes repus.*

# 4

*Manger plus que nécessaire, au po* ,
*plus pouvoir ingurgiter quoi que ce soi,*
*jusqu'à se sentir amortis ou endormis*

Cet abus qui est communément commis à l'heure du dîner et qui s'étend pour une partie de l'après-midi est une cause majeure d'inefficacité, de pertes de mémoire et de piètres attitudes chez ceux qui s'y adonnent.

Manger pour se donner de l'énergie est comme se battre pour la paix. Cet effet est souvent confondu avec la dégringolade attribuable au sucre et lui est par conséquent apparenté. Les étudiants ont acquis cette réputation, et tenir une classe après un repas est quelquefois inutile. C'est très frustrant pour les professeurs.

«J'ai trop mangé»; «Je m'endors»; «Je ne peux pas penser clairement»; «Attendez un peu, ça ira mieux plus tard» sont des répliques souvent entendues.

Nous devons apprendre à nous arrêter lorsque s'éteint le signal de la faim. Certains aliments sont reconnus pour stimuler encore plus l'appétit, surtout lorsqu'ils sont consommés selon certaines combinaisons. Prenez note de ces pilons en puissance et soyez sur vos gardes; de toute façon, qui souhaite se payer une dégringolade? Est-ce que ça en vaut la peine? D'habitude, après avoir connu les extravagances de tels buffets mixtes, nous nous sentons bourrés, gonflés, épais et engourdis.

«Pourquoi ai-je fait cela? Je déteste être bouffi.»

Là encore, méfiez-vous des extrêmes, ils nous attrapent tous un jour ou l'autre. Il est vrai que nous n'utilisons pas ce que nous perdons, mais trop souvent nous abusons de ce que nous utilisons.

*Manger plus que nécessaire au point de ne plus pouvoir ingurgiter quoi que ce soit.*

# 5

## *Manger un repas copieux a*
## *se mettre au lit*

C'est toute une gaffe! Voilà un abus plus que fréquent. C'est comme si notre corps avait été çoncu pour manger à la position verticale exclusivement sans jamais se coucher. Si nous aimons les problèmes, ajoutons la surconsommation d'aliments à la position horizontale prise après le repas. Cela nous nuira certainement. Qu'il s'agisse de raideurs, de gonflements ou de rots accompagnés d'un souffle court, cet abus aura des effets qui pourront en fin de compte anticiper notre mort.

*Manger un repas copieux avant de se mettre au lit.*

# 6

## *Manger trop tard et se coucher*

Si nous désirons que notre bas du dos devienne vulnérable, le moyen le plus rapide est d'unir cet abus de manger trop tard et de se mettre au lit à une surconsommation d'aliments. Les médecins ne se rendent pas vraiment compte du nombre de syndromes de la région lombaire qui sont occasionnés par cet abus. Si seulement cette mauvaise habitude pouvait être corrigée, les maux digestifs et autres maladies de toutes sortes finiraient par s'apaiser. Remarquez le moment où votre dos a été terrassé, surtout s'il s'agit d'une coïncidence comme la goutte d'eau suffit pour faire déborder le vase. Si vous en prenez soigneusement note, la relation entre la première attaque douloureuse et cet abus spécifique ou tout autre deviendra vite évidente. Plusieurs réflexes des intestins ramènent leurs douleurs à la région lombaire et aux spasmes musculaires qui leur sont associés. Là encore, il semble préférable que la digestion se fasse à la verticale.

Si vous êtes harcelés par la congestion, les gaz et un dos raide et endolori, transformez cet abus et observez les résultats dans l'espace d'une semaine. Essayez, si possible, de ne pas manger plus tard que 19 h. C'est à peu près l'heure la plus tardive que l'on puisse recommander. Si vous le devez vraiment, n'allez pas vous coucher immédiatement après; attendez et essayez peut-être d'aller vous promener pour mieux digérer. En tout cas, ne mangez pas trop pour ensuite vous coucher et vous endormir.

«Oh! cette sacrée raideur chronique au dos!»

*Manger trop tard et se coucher.*

# 7

## *Manger la même nourriture jour après jour*

La plupart d'entre nous gardons une préférence pour ces aliments favoris que nous avons tendance à manger trop souvent. En fait, c'est probablement une des causes majeures des allergies et de leurs symptômes nombreux et variés, et c'est définitivement un bon moyen de les mener à leurs plus douloureuses extrémités. En mangeant de cette façon, nous en arrivons à un point de haut-le-cœur par surconsommation et nous sautons immédiatement sur le prochain aliment bien-aimé. Les aliments communs que nous consommons quotidiennement sont le maïs, le blé, le lait, les tomates, les fraises, le chocolat et plusieurs autres. Ce sont ces aliments qui, le plus souvent, causent des allergies.

Il est si facile de tomber dans le piège de manger les mêmes aliments monotones jour après jour, mais à quel prix! C'est un miracle que nous puissions quelquefois tout simplement fonctionner en empoisonnant notre existence de tant d'abus. Si nous nous apercevons que nous abusons des mêmes aliments jour après jour, nous devrions nous fixer comme but de pratiquer une rotation qui nous permette de les utiliser une ou deux fois par semaine. Si possible, effectuons une variation et une rotation des groupes d'aliments. Les extrêmes sont pour nous facteurs de tension. Le corps essaie d'agir au mieux avec ce dont il dispose pour travailler.

*Manger la même nourriture jour après jour.*

# 8

## *Manger trop ou pas assez de ces aliments qui favorisent le transit intestinal*

La constipation est un mal qui prévaut dans notre pays et, dans la plupart des cas, elle est causée par un manque d'aliments fibreux. Les laxatifs et autres moyens du genre sont additionnels et, comparés à un apport approprié de fibres, ils sont très inférieurs. Le fait que la régularité se définisse par rapport à ce qui est normal pour un individu donné peut nous induire en erreur. Le syndrome d'une fois par semaine est vraiment un état maladif, sans compter le fardeau psychologique majeur que cela suppose. Un minimum d'une fois par jour, deux de préférence et peut-être trois serait mieux, mais il ne faut pas se rendre à cet autre extrême qu'est la diarrhée. Là encore, un apport insuffisant de fibres et la constipation qui en résulte se distinguent par les symptômes qui leur sont associés: maux et douleurs, maux de tête, fatigue, raideur, ballonnements, le rhume si fréquent, et plus encore. Sans compter l'obésité, les parasites et les problèmes de tension artérielle.

Tout comme une consommation insuffisante de ces aliments nous prédispose à des problèmes, il en va de même de leur excès. Une trop forte consommation de fibres peut altérer le contenu minéral du corps et plusieurs éléments de l'organisme peuvent être dérangés. Le calcium et le potassium sont deux minéraux qui sont très facilement affectés. Le pH de notre corps peut également être altéré par un fonctionnement trop fréquent ou trop relâché de nos intestins.

N'ayons pas honte de tenir compte de nos habitudes en ce domaine; elles nous en apprennent plus que nous ne voulons le laisser paraître. Prenons note de la couleur, de la consistance, de la densité, de l'odeur et de toutes les autres caractéristiques et remarquons comment nous nous sentons lorsque tout va bien. Vous serez surpris. Si votre matière fécale est trop dure, c'est qu'elle progresse trop lentement dans vos intestins et il faut alors ajouter des fibres à votre alimentation; si elle est trop molle, il est probable que cela bouge trop vite et il faut alors réduire la quantité de fibres. Les céréales représentent le meilleur apport naturel de fibres alors consommez-les. Oh oui! s'il vous plaît, ne vous forcez jamais, laissez aller les choses!

Plus nous absorberons de fibres, plus souvent nous irons aux toilettes et plus il nous sera possible de diminuer ou maintenir notre poids. Cette notion est importante pour les personnes obèses, car l'un des problèmes qui causent leur gain de poids, c'est qu'elles coupent leur consommation de céréales sous le faux prétexte que celles-ci font engraisser. Oui, les céréales peuvent faire prendre de l'embonpoint si leurs fibres et leurs aliments nutritifs ont été raffinés. Ne nous attardons même pas à ce non-sens que représentent les aliments raffinés et il est inutile d'en considérer l'absorption. L'idée, c'est de maintenir une quantité et une qualité idéales de fibres. Il s'agit là d'une clé très importante dont il ne faut pas abuser.

*Manger trop ou pas assez de ces aliments qui favorisent le transit intestinal.*

# 9

## ...tervalles irréguliers

...communément parler de gens ...ı moment où ils ressentent la ...ɔorte des avantages, mais aussi des inconvénients. Bien sûr, s'ils mangent une quantité adéquate à chaque fois, cette approche aura tendance à ne pas accabler le système digestif. Mais les organes d'élimination pourront cependant en être ralentis. Cela prend habituellement entre 18 et 72 heures à nos aliments pour voyager de notre bouche à notre anus et, durant ce périple, ils passent d'un état solide à un état liquide puis encore à un état solide. Idéalement, lorsque la nourriture est absorbée par la bouche, des réflexes sont déclenchés pour éliminer les déchets à l'autre extrémité. Lorsque les déchets se sont emmagasinés et qu'ils sont prêts à sortir, tout va bien. Mais s'ils ont été conservés trop ou pas assez longtemps, nous aurons tendance à éprouver une constipation sèche et dure ou encore une diarrhée liquide et molle. C'est là que commence le problème.

Si nous mangeons à peu près au même moment chaque jour, nos réflexes tendront vers la normalité, mais si nous errons dans nos heures de repas, nous déréglons nos réflexes ce qui engendrera communément une fonction intermittente et spasmodique du côlon. Ces deux symptômes d'alternance sont souvent précurseurs de conditions plus chroniques comme la diverticulose, la colite ulcérative et les hémorroïdes. La clé est de manger à environ une heure près d'un horaire régulier et quotidien, peu importe le nombre de repas. Soyez tout simplement uniforme.

*Manger à intervalles irréguliers.*

# 10

## *Consommer une quantité inadéquate de protéines, lipides, glucides, acides nucléiques, vitamines, minéraux, etc.*

Prenons chacune des catégories séparément. Les diètes pauvres ou excessivement riches en protéines sont insensées. Les dangers hasardeux des extrêmes et leurs conséquences ont déjà été discutés. Les diètes pauvres en protéines ont tendance à déranger l'équilibre des liquides et des minéraux et à entraîner des fluctuations dans le taux de sucre. Les symptômes parlent d'eux-mêmes: perte des cheveux, fatigue, dermatite, vigueur et résistance moindres, etc. Une quantité de protéines consommées avec modération est essentielle. Les diètes faibles en lipides comportent également leurs dangers. La folie trompeuse du début des années 70 à propos du cholestérol a éloigné bien des gens des aliments contenant des graisses. Résultat: des idées folles qui ont tenté de battre Mère Nature sur son propre terrain. Des substituts pour les œufs et des margarines polyinsaturées n'occupent que le second ou le troisième rang par rapport aux œufs frais fertilisés ou au vrai beurre. Premièrement, un excès d'huiles insaturées a tendance à produire des radicaux libres nuisibles à cause de leur rancissement.

Également, comme les aliments qui contiennent des graisses sont faits d'un assortiment d'éléments et de composés qui en facilitent l'utilisation, il semble évident d'y aller de façon naturelle. Les noix entières, les graines, les céréales, les fromages frais, les beurres, les yogourts, les œufs et plusieurs légumes contiennent des huiles, des acides gras essentiels, des esters et des vitamines que les graisses rendent solubles; et tous ces éléments favorisent la santé. Pour que notre foie et notre vessie ne développent pas de calculs rénaux et pour que nos membranes et notre peau demeurent douces, nous devons absorber des huiles et des graisses en quantités modérées, quoiqu'il ne faille pas en abuser. Les diètes faibles en glucides ont également tendance à interférer avec une digestion convenable, avec les fonctions d'absorption ou autres fonctions métaboliques et elles tendent également à altérer nos taux normaux de sucres. Les sucres complexes sont recommandés, sous forme de céréales entières et de fruits frais. Les fruits séchés ne doivent être consommés que rarement étant donné leur contenu riche en sucres.

Toutes les cellules de notre corps contiennent *des hydrates de carbone, des glucides. Que nous les* mangions ou que nous les formions, en quantités suffisantes, elles n'en demeurent pas moins nécessaires. Les acides nucléiques, blocs constructeurs de notre matériel génétique, sont également contenus dans nos aliments. On les retrouve spécialement dans les aliments contenant des quantités élevées de purines et pyrimidines comme le poisson, les fèves et la levure. Les acides nucléiques sont manufacturés dans notre corps, mais le fait de les consommer augmente leur concentration essentielle. Notre processus entier de formation d'énergie nécessite leur présence. Il existe une relation possible entre les quantités consommées d'acides nucléiques et l'amélioration des fonctions intellectuelles.

On retrouve de nos jours plusieurs livres sur le marché qui décrivent l'importance des vitamines dans notre diète ou leur absorption sous forme de suppléments. Plusieurs médecins utilisent maintenant des thérapies diététiques ou suggèrent des suppléments alimentaires. Tout cela est nécessaire. Si la plupart d'entre nous prenions note de ce que nous avons mangé pendant une semaine ou même une journée et que nous faisions une évaluation des vitamines contenues dans les aliments, nous serions étonnés. En enlevant les pertes de vitamines lors de la cuisson, la préparation ou le traitement des aliments et en considérant seulement les aliments de mauvaise qualité économiquement cultivés qui nous sont offerts, il n'est pas surprenant que la plupart d'entre nous souffrions de carences vitaminiques cliniques ou subcliniques.

Oui, il est possible d'abuser des vitamines en absorbant des surdoses échelonnées sur de longues périodes de temps. Ce n'est pas recommandé et cela constitue plutôt une exception à la règle. La plupart d'entre nous avons des carences. Ces carences sont attribuables à un faible choix d'aliments, aux abus décrits dans ce livre et à la piètre qualité des aliments disponibles. Sans nous attarder trop profondément à des symptômes provenant de carences vitaminiques spécifiques (plusieurs excellents livres sont disponibles sur le sujet), laissons le tableau suivant parler par lui-même.

Ce tableau devrait être utilisé comme référence de base seulement et ne constitue en aucun cas un substitut pour un diagnostic. Les vitamines agissent comme cœnzymes et sont, comme le mot le dit, vitales. Étant donné que la plupart d'entre nous ne menons pas des vies idéales en ce qui concerne la conscience de notre alimentation, les suppléments sont une nécessité. Toutefois, il nous faut porter une grande attention à cette carence commune et demander l'aide d'une personne qualifiée si nécessaire. Il est possible que les multi-vitamines nous soient recommandées plutôt qu'un type spécifique, étant donné leurs relations complexes et l'individualité biochimique de chacun. Pas un livre ne possède toutes les réponses, alors gardons une perspective ouverte avant de nous restreindre dans nos régimes diététiques.

La consommation des sels minéraux peut aussi être inadéquate. Dans plusieurs cas, ces co-facteurs sont tellement déséquilibrés qu'une thérapie immédiate est recommandée. Une carence en sels minéraux peut causer des états malsains de tout ordre qui s'étendent de l'anémie à la dépression, en plus de plusieurs maladies de la peau. Même si l'on retrouve plutôt des carences en sels minéraux, leurs corollaires, les intoxications massives par le métal, peuvent également se présenter. Informez-vous davantage quant aux interactions dans le déplacement des sels minéraux et sachez rendre un diagnostic approprié. Ne consommez aucun sel minéral en surdose. Là encore, une source multiple de sels minéraux est un bon début. Le docteur Ruth Yale Long de Houston au

Texas a écrit d'excellents livres sur les vitamines et les sels minéraux et le rôle qu'ils jouent dans la nutrition. Ils sont recommandés comme guides. Vous trouverez dans les pages suivantes un tableau des carences en sels minéraux. Là encore, il ne faut pas l'utiliser comme unique diagnostic; il ne s'agit là que d'une référence.

*Consommer une quantité inadéquate de protéines, lipides, glucides, acides nucléiques, vitamines, minéraux, etc.*

## Vitamines

| | Marges quotidiennes | Éléments nutritifs en corrélation | Sources alimentaires |
|---|---|---|---|
| **A** Rétinol, acide rétinoïque, (soluble dans les lipides) | U.S. RDA 5 000 U.I.<br>Quantités<br>recom- 10 000-<br>mandées 25 000 U.I.<br>Toxicité 75 000 U.I. | Complexe B, chloline, C, D, E\*, F, calcium phosphore, zinc | Fruits et légumes verts et jaunes, lait, produits laitiers, huile de foie de poisson, jaune d'œuf, germe de blé |
| **Complexe B** (soluble dans l'eau) | U.S. RDA Voir<br>vitamines B<br>Quantités<br>recom- Voir<br>mandées vitamines B | C, E, calcium, phosphore | Levure de bière, foie, céréales à grains entiers |
| **B₁** Thiamine (soluble dans l'eau) | U.S. RDA 1,5 mg<br>Quantités<br>recom-<br>mandées 15-60 mg | Complexe B\*, $B_2$, acide folique, niacine, C, E, manganèse\* | Mélasse, levure de bière, riz brun, poisson, viande, noix, abats, volaille, germe de blé |
| **B₂** Riboflavine (soluble dans l'eau) | U.S. RDA 1,8 mg<br>Quantités<br>recom-<br>mandées 15,60 mg | Complexe B\*, $B_6$\*\*, miacine, C, phosphore | Mélasse, noix, abats, céréales à grains entiers |
| **B₃** Niacine, Niacinamide, Acide nicotinique (soluble dans l'eau) | U.S. RDA 20 mg<br>Quantités<br>recom-<br>mandées 20-500 mg<br>Provoque des rougeurs | Complexe B\*, $B_1$, $B_2$, C, phosphore | Levure de bière, fruits de mer, viandes maigres, lait, produits laitiers, volaille, foie desséché |
| **B₅** Acide pantothénique, Complexe B (soluble dans l'eau) | U.S. RDA 10-50 mg<br>Quantités<br>recom-<br>mandées 20-200 mg | Complexe B\*, $B_1$, $B_{12}$, biotine, acide folique, C | Levure de bière, légumineuses, abats, saumon, germe de blé, céréales à grains entiers |
| **B₆** Pyridoxine (soluble dans l'eau) Pyridoxol, Pyridoxal, Pyridoxiamine | U.S. RDA 2 mg<br>Quantités<br>recom-<br>mandées 40-100 mg | Complexe B\*, $B_1$, $B_2$, acide pantothénique, C, magnésium, potassium, acide linoléique, sodium | Mélasse, levure de bière, légumes verts feuillus, abats, viandes, germe de blé, céréales à grains entiers, foie desséché |
| **B₁₂** Cyanocobalamine (soluble dans l'eau) | U.S. RDA 6 mcg<br>Quantités<br>recom-<br>mandées 5-500 mcg | Complexe B, $B_6$, choline, inositol, C, potassium, sodium | Fromages, poisson, lait, produits laitiers, abats |

| Fonctions organiques facilitées | Symptômes carentiels | Substances éliminant l'absorption |
|---|---|---|
| Régénération et entretien des tissus (résistance à l'infection). Production du pourpre rétinien (nécessaire à la vision dans l'obscurité) | Dents et gencives imparfaites, allergies, cheveux secs, croissance ralentie, prédisposition aux infections, irritations de l'œil, difficulté à voir dans l'obscurité, troubles des sinus, peau sèche, perte de l'odorat | Café, alcool, excès de fer, huile minérale, carence en vitamine D |
| Énergie, métabolisme (glucides, lipides, protéines), maintien du tonus musculaire (appareil digestif) | Manque d'appétit, peau rude et sèche, fatigue, cheveux ternes, constipation, acné, insomnie | Stress, excès de sucre, alcool, pilules contraceptives, infections, somnifères, sulfamides |
| Appétit, reconstitution du sang, métabolisme des glucides, circulation, digestion (production de l'acide chlorhydrique), énergie, croissance, capacité d'apprentissage, maintien du tonus musculaire, (intestins, estomac, cœur) | Dépression, constipation, croissance diminuée des enfants, souffle court, mains et pieds engourdis, faiblesse, fatigue, nervosité, sensibilité au bruit, perte d'appétit | Tabac, stress, fièvre, café, alcool, chirurgie, palourdes crues |
| Formation des anticorps et des globules rouges du sang, respiration cellulaire, métabolisme (glucides, lipides, protéines). Aide à prévenir la sensibilité des yeux à la lumière | Inflammation de la bouche, problèmes des yeux, étourdissement, mauvaise digestion, ecthyma de la langue, dermatite | Alcool, tabac, excès de sucre, café |
| Circulation, réduction du niveau de cholestérol, croissance, production de l'acide chlorhydrique, métabolisme (protéines, lipides, glucides), production de l'hormone sexuelle | Troubles gastro-intestinaux, dermatite, troubles nerveux, douleurs musculaires, perte d'appétit, insomnie, fatigue, mauvaise haleine | Excès de sucre, maïs, café, antibiotiques, alcool |
| Formation des anticorps, glucides, lipides, conversion des protéines (énergie), stimulation de la croissance, utilisation vitaminique | Tensions à l'estomac, réactions à l'insuline, eczéma, perte des cheveux, hypoglycémie, vomissements, diarrhée, maux de reins | Café, alcool |
| Formation des anticorps, digestion (production de l'acide chlorhydrique), utilisation des protéines et lipides (contrôle du poids), maintien de l'équilibre sodium/potassium (nerfs) | Possibilité de perte du contrôle musculaire, nervosité, dermatite, réagit à l'insuline, perte des cheveux, affections buccales, acnée, irritabilité, faiblesse musculaire, convulsion chez les nouveaux-nés, dépression, incapacité d'apprentissage, anémie, arthrite | Alcool, pilules anticonceptionnelles, tabac, exposition aux radiations, café |
| Appétit, formation des globules du sang, longévité des cellules, santé du système nerveux, métabolisme (glucides, lipides, protéines) | Fatigue, faiblesse générale, manque d'appétit, difficulté d'élocution, anémie pernicieuse, nervosité, néoritite, lésions cervicales, croissance défaillante chez l'enfant | Tabac, café, alcool, laxatifs |

## Vitamines (suite)

| | Marges quotidiennes | Éléments nutritifs en corrélation | Sources alimentaires |
|---|---|---|---|
| **Biotine**<br>Complexe B<br>(soluble dans l'eau) | U.S. RDA 300 mcg<br>Quantités recommandées 300-500 mcg | Complexe B, $B_{12}$, acide folique, acide pantothénique, C, soufre | Légumineuses, céréales à grains entiers, abats, levure de bière |
| **Choline**<br>Complexe B<br>(soluble dans l'eau) | U.S. RDA non-mentionné<br>Quantités recommandées 100-500 mg | A, Complexe B, $B_{12}$, acide folique, inositol*, acide linoléique | Levure de bière, poisson, légumineuses, abats, fèves de soya, germe de blé, lécithine |
| **Acide folique**<br>Folicine, Complexe B<br>(soluble dans l'eau) | U.S. RDA 400 mcg<br>Quantités recommandées 100-1 000 mcg | Complexe B*, $B_{12}$, biotine, acide pantothénique, C | Légumes verts feuillus, lait, produits laitiers, abats, huîtres, saumon, céréales à grains entiers |
| **Inositol**<br>Complexe B<br>(soluble dans l'eau) | U.S. RDA 20-50 mg<br>Quantités recommandées 100-500 mg | Complexe B*, $B_{12}$, choline, acide linoléique | Mélasse, agrumes, levure de bière, viande, lait, noix, légumes, céréales à grains entiers, lécithine |
| **PABA**<br>(soluble dans l'eau),<br>Complexe B,<br>Acide para-aminobenzoïque | U.S. RDA 10-30 mg<br>Quantités recommandées 50-200 mg | Complexe B, acide folique, C | Mélasse, levure de bière, foie, abats, germe de blé |
| **C** Acide ascorbique<br>(soluble dans l'eau) | U.S. RDA 60 mg<br>Quantités recommandées 250-4 000 mg | Toutes les vitamines et tous les minéraux, bioflavonoïdes (vitamine P), calcium*, magnésium* | Agrumes, cantaloup, poivrons verts |
| **D** Calciférol<br>(soluble dans l'eau) | U.S. RDA 400 U.I.<br>Quantités recommandées 500-1 000 U.I.<br>Toxicité 25 000 U.I. | A, choline, C, F, calcium, phosphore | Jaunes d'œuf, abats, poudre d'os, lumière du soleil |
| **E** Tocophérol<br>(soluble dans les lipides) | U.S. RDA 15 U.I.<br>Quantités recommandées 50-80 U.I.<br>Toxicité 4 000-30 000 U.I. | A, Complexe B, $B_1$, inositol*, C, F, manganèse, sélénium, phosphore* | Légumes verts foncés, œufs, foie, abats, germe de blé, huile végétale, foie desséché |

| Fonctions organiques facilitées | Symptômes carentiels | Substances éliminant l'absorption |
|---|---|---|
| Croissance cellulaire, production des acides gras, métabolisme (glucides, lipides, protéines), utilisation de la vitamine B | Épuisement extrême, manque d'appétit, dérèglement du métabolisme des lipides, douleurs musculaires, dépression, peau grisâtre, dermatite | Alcool, avidine (blanc d'œuf cru), café |
| Formation de la lécithine, métabolisme de régulation du foie et de la vésicule biliaire (lipides, cholesthérol, transmission nerveuse) | Peut occasionner une cirrhose et une dégénération du foie due aux graisses, hémorragie des reins, intolérance aux lipides, ulcères saignants de l'estomac, hypertension artérielle, problèmes de croissance | Excès de sucre, alcool, café |
| Appétit, croissance et reproduction des tissus corporels, production de l'acide chlorhydrique, métabolisme des protéines, formation des globules rouges | Troubles gastro-intestinaux, déficience en $B_{12}$, anémie, retard de croissance, cheveux grisonnants | Stress, alcool, café, cigarettes |
| Retard du durcissement des artères, réduction du cholestérol, croissance des cheveux, formation de la lécithine, métabolisme (lipides et cholestérol) | Maux de yeux, taux élevé de cholestérol, problèmes de peau, constipation | Excès de sucre, maïs, café, alcool, antibiotiques |
| Formation des globules rouges, cheveux grisonnants (rétablissement de la couleur), activité des bactéries intestinales, métabolisme des protéines | Nervosité, anémie, constipation, fatigue, maux de tête, troubles digestifs, eczéma | Sulfamides, café, alcool |
| Formation des os et des dents, production de collagène, digestion, conservation de l'iode, guérison (brûlures et blessures), formation des globules rouges (prévention des hémorragies), résistance aux chocs et infections (rhumes), protection des vitamines (oxydation) | Faiblesse musculaire, anémie, perte d'appétit, hémorragie de la peau, enflure des jointures, guérison lente des fractures et blessures, gencives saignantes, facilité à faire des ecchymoses, faible résistance aux infections | Stress, forte fièvre, tabac, antibiotiques, aspirines, cortisone |
| Métabolisme du calcium et du phosphore (formation des os), activité du cœur, maintien du système nerveux, coagulation normale du sang, respiration de la peau | Peut mener au rachitisme, manque de vigueur, faiblesse musculaire, absorption inadéquate de calcium, rétention du phosphore (dans les reins), diarrhée, insomnie, nervosité, fragilité des os et des dents, myopie | Huile minérale |
| Retard du processus de vieillissement, facteur anticoagulant, réduction du taux de cholestérol, circulation du sang au cœur, renforcissement du cuir chevelu, fertilité, puissance sexuelle chez le mâle, protection pulmonaire (antipollution), maintien des muscles et des nerfs, protège les acides gras essentiels | Fragilité des globules rouges, cheveux secs et plats, stérilité, impuissance, fausse couche, troubles gastro-intestinaux, maladies de cœur, inflammation de la prostate | Huile minérale, huiles et graisses rances, chrome, pilules anticonceptionnelles |

## Vitamines (suite)

| | | Marges quotidiennes | Éléments nutritifs en corrélation | Sources alimentaires |
|---|---|---|---|---|
| **F** | Acides gras insaturés | U.S. RDA non-spécifié<br>Quantités recommandées 10 % du nombre total de calories | A, C, D, E, phosphore | Huile végétale (safran, soya, maïs), germe de blé, graines de tournesol |
| **K** | Ménadione (soluble dans les lipides) | U.S. RDA non-spécifié<br>Quantités recommandées 300-500 mcg | Inconnue | Légumes verts feuillus, huile de safran, mélasse, yogourt |
| **P** | Bioflavonoïdes (soluble dans l'eau) | U.S. RDA non-spécifié<br>Quantités recommandées 500-3 000 mg | Vitamine C | Fruits (pelures et pulpes), abricots, cerises, raisins, pamplemousses, citrons, prunes |

| Fonctions organiques facilitées | Symptômes carentiels | Substances éliminant l'absorption |
|---|---|---|
| Empêche le durcissement des artères, normalise la pression sanguine, réduit le taux de cholestérol, augmente l'activité glandulaire | Acné, pellicules, cheveux secs, diarrhée, eczéma, varices, perte de poids, ongles cassants, calculs biliaires | Rayons X, radiations |
| Bonne coagulation du sang | Tendance aux hémorragies attribuables à une trop lente coagulation, mauvaise absorption des intestins, saignements de nez, fausse couche diarrhée, maladies cellulaires | Huile minérale, rayons X, aspirine, graisses rances, radiations |
| Maintien des parois artérielles, réduction des ecchymoses, prévention contre rhumes et grippes, bon maintien capillaire | Tendance facile aux saignements et ecchymoses (semblable aux déficiences causées par le manque de vitamine C) | (Même chose que pour la vitamine C) |

## Minéraux

| | Marges quotidiennes | Éléments nutritifs en corrélation | Sources alimentaires |
|---|---|---|---|
| **Calcium** | U.S. RDA 800-1,400 mg<br>Quantités<br>recom- 1 000-2 000<br>mandées mg | A*, C*, D*, fer, magnésium, manganèse, phosphore | Lait, fromage, mélasse, yogourt, poudre d'os, dolomite, amandes (1 tasse = 325 mg), fromage (1 tasse = 200 mg), foie (bœuf) ¼ lb = 500 mg) |
| **Chrome** | U.S. RDA non-spécifié<br>Quantités<br>recom-<br>mandées 100-300 mg | non-identifié jusqu'à maintenant | Levure de bière, palourdes, huile de maïs, céréales à grains entiers |
| **Cuivre** | U.S. RDA 2 mg<br>Quantités<br>recom-<br>mandées 2-4 mg<br>Toxicité 40 mg | Cobalt, fer, zinc | Légumineuses, noix, abats, fruits de mer, raisins, mélasse, poudre d'os, noix du Brésil (1 tasse = 4 mg), fèves de soya (1 tasse = 2 mg) |
| **Iode** | U.S. RDA 100-300 mcg<br>Quantités<br>recom- 100-1 000<br>mandées mcg | Non-identifié jusqu'à maintenant | Fruits de mer, comprimés de varech, sel (iodé) |
| **Fer** | U.S. RDA 10-18 mg<br>Quantités<br>recom-<br>mandées 15-50 mg<br>Toxicité 100 mg | $B_{12}$, acide folique, C*, calcium*, cobalt, cuivre*, phosphore | Mélasse, œufs, poisson, abats, volaille, germe de blé, foie desséché, foie de bœuf (¼ lb= 200 mg), «fibres de blé» (1 biscuit = 30 mg) |
| **Magnésium** | U.S. RDA 300-350 mg<br>Quantités<br>recom-<br>mandées 300-1 000 mg<br>Toxicité 30 000 mg | $B_6$, C, D, calcium, phosphore | Son, miel, légumes verts, noix, fruits de mer, épinards, poudre d'os, comprimés de varech, flocons de son (1 tasse = 90 mg), arachides (rôties avec l'écale) 1 tasse = 420 mg), thon (en conserve (½ lb = 150 mg) |
| **Manganèse** | U.S. RDA non-identifié<br>Quantités<br>recom-<br>mandées 1-50 mg | Non-identifié jusqu'à maintenant | Bananes, son, céleri, céréales, jaunes d'œuf, légumes verts feuillus, légumineuses, foie, noix, ananas, céréales à grains entiers |

| Fonctions organiques facilitées | Symptômes carentiels | Substances éliminant l'absorption |
|---|---|---|
| Formation des os et des dents, coagulation du sang, rythme cardiaque, tranquillisation des nerfs, transmission nerveuse, croissance et contraction des muscles | Maux de dos et de jambes, palpitations cardiaques, tétanie, os fragiles, insomnie, carie dentaire, douleurs musculaires | Manque d'acide chlorhydrique, stress excessif, manque d'exercice, manque de magnésium, manque de vitamine D |
| Taux de sucre dans le sang, glucose, métabolisme (énergie) | Diminution du taux de croissance, artériosclérose, intolérance chez les diabétiques | Aucune |
| Formation des os, coloration des cheveux et de la peau, processus guérisseurs du corps, formation de l'hémoglobine et des globules rouges | Maladies de la peau, respiration gênée, faiblesse générale | Forte absorption de zinc |
| Production de l'énergie, métabolisme (excès de graisse), développement physique et mental | Obésité, irritabilité, cheveux secs, nervosité, mains froides et pieds froids | Aucune |
| Production de l'hémoglobine, résistance au stress et aux maladies | Faiblesse, difficulté à respirer, anémie, constipation, ongles cassants | Dose massive de zinc, café, dose excessive de phosphore |
| Équilibre acide/alcalin, métabolisme du taux de sucre dans le sang (énergie), métabolisme (calcium et vitamine C) | Excitabilité musculaire, confusion, nervosité, tremblements | Aucune |
| Activation des enzymes, reproduction et croissance, production des hormones sexuelles, respiration des tissus, métabolisme de la vitamine B, utilisation de la vitamine E | Perte de l'ouïe, ataxie, étourdissement | Doses massives de calcium et phosphore |

## Minéraux (suite)

| | Marges quotidiennes | Éléments nutritifs en corrélation | Sources alimentaires |
|---|---|---|---|
| **Phosphore** | U.S. RDA      800 mg<br>Quantités<br>recom-<br>mandées 100-1 000 mg | A, D\*, F, calcium\*\*, fer, manganèse | Oeufs, œufs de poisson, viandes glandulaires, viandes, volailles, fromage jaune, foie de veau (1/4 lb = 500 mg), lait/yogourt (1 tasse = 230 mg), œuf cuit (1 moyen = 110 mg) |
| **Potassium** | U.S. RDA    non-identifié<br>Quantités<br>recom-    3 000-10 000<br>mandées       mg | $B_6$, sodium\*\* | Dattes, figues, pêches, jus de tomates, mélasse, arachides, raisins, fruits de mer, abricots séchés (1 tasse = 1450 mg), 1 banane moyenne = 500 mg, poisson cuit (1/4 lb = 650 mg), pomme de terre cuite (1 moyenne = 500 mg), graines de tournesol (1 tasse = 900 mg) |
| **Sélénium** | U.S. RDA      150 mcg<br>Quantités<br>recom-<br>mandées 150-200 mcg<br>Toxicité       5 mg | A, C, E | Ail, oignon, asperges, champignons, œufs, levure de bière, thon, foie, crevettes |
| **Sodium** | U.S. RDA 3 000-7 000 mg<br>Quantités<br>recom-    3 000-10 000<br>mandées       mg<br>Toxicité<br>   14 000-28 000 mg | D, potassium\*\* | Sel, lait, fromage, fruits de mer |
| **Soufre** | U.S. RDA    non-identifié | Complexe B, $B_1$, biotine, acide pantothénique | Son, fromage, palourdes, œufs, noix, poisson, germe de blé |
| **Zinc** | U.S. RDA      15 mg<br>Quantités<br>recom-<br>mandées    20-100 mg | A (dose massive), calcium, cuivre, phosphore | Levure de bière, foie, fruits de mer, fèves de soya, épinards, graines de tournesol, champignons |

| Fonctions organiques facilitées | Symptômes carentiels | Substances éliminant l'absorption |
|---|---|---|
| Formation des os et des dents, croissance et régénération des cellules, production d'énergie, contraction du muscle du cœur, fonction des reins, métabolisme (calcium, sucre), activité nerveuse et musculaire, utilisation des vitamines | Pyorrhée, perte de poids, manque d'appétit, respiration irrégulière, fatigue, nervosité, surplus de poids | Absorption excessive de magnésium, d'aluminium, de sucre blanc et de fer |
| Battements du cœur, croissance rapide, contraction des muscles, tranquillisation des nerfs | Troubles respiratoires, arrêt cardiaque, faibles réflexes, acné, soif, constipation, peau sèche, nervosité, battements de cœur irréguliers (lent), insomnie | Café, diurétiques, consommation excessive de sucre, stress, alcool, cortisone, laxatifs |
| Retard du processus de vieillissement, lutte contre les retards de croissance | Vieillissement prématuré | Aucune |
| Niveau de liquide cellulaire normal, contraction musculaire régulière | — | — |
| Synthèse collagène, formation des tissus | — | — |
| Guérison des brûlures et blessures, digestion des glucides, fonction de la prostate, croissance et développement des organes de reproduction, croissance et maturité des organes sexuels, métabolisme de la vitamine $B_1$, du phosphore et des protéines | Stérilité, retard de la maturité sexuelle, perte du goût, manque d'appétit, fatigue, retard de croissance | Manque de phosphore, consommation excessive de calcium, alcool |

# 11

## *Manger de ces aliments raffinés dont on a réduit, plutôt qu'amélioré, les qualités nutritives*

Plusieurs débats et controverses ont été suscités à propos de la qualité des aliments entiers et naturels par rapport à celle des aliments enrichis et raffinés. Ça ne vaut pas la peine d'en discuter; la réponse devrait être évidente. L'homme contemporain, dans toute sa sagesse, ne peut en aucune manière faire compétition avec notre vieille Mère Nature.

Le tout est plus grand que la somme de ses parties. Le nombre d'éléments ou de composés chimiques que nous pouvons retrouver dans les aliments naturels n'est toujours pas connu. Il est ridicule de penser que nous puissions arriver à produire quelque chose de mieux qu'un fruit, un légume ou un grain entier. S'il vous plaît, remplacez dans votre diète le plus d'aliments enrichis possible par de bons vieux aliments nutritifs.

Ce qui existe persiste et ce qui persiste existe. Les aliments frais et naturels existent et persistent. Ne devenez pas la proie des médias qui prêchent le nouveau et l'amélioré. Ce qui était bon au départ ne nécessite aucune amélioration. Éliminez les farines et sucres blancs raffinés ainsi que la plupart des aliments qui sont empaquetés ou en conserve, à moins que vous ne désiriez qu'on vous vole. Trop de malaises découlent de ce type d'habitude alimentaire pour que nous puissions les mentionner ici. Fixons-

nous comme but d'atteindre la santé et continuons à le poursuivre avec persévérance jusqu'à ce que nous en connaissions l'état de grâce.

*Manger de ces aliments raffinés dont on a réduit, plutôt qu'amélioré, les qualités nutritives.*

# 12

## *Prendre une mauvaise posture pour manger*

Nous avons recommandé plus tôt la posture verticale comme étant celle qui favorise le plus notre corps lorsqu'il mange. Ceci est plus important que nous ne le croyons à première vue. L'anatomie de nos systèmes digestif et respiratoire témoigne en partie de cette recommandation. Notre estomac et notre diaphragme fournissent leur meilleur fonctionnement quand nous ne sommes pas penchés ou couchés. Il n'est pas conseillé de s'asseoir dans l'auto, sur un divan ou de se coucher dans un lit; à moins de ne vouloir une digestion moins qu'idéale. Si possible, assoyez-vous pour manger dans une position verticale mais détendue. Il est évident que vous en récolterez des bienfaits.

*Prendre une mauvaise posture pour manger.*

# 13

## *Manger des aliments trop cuits*

Lorsque vous faites trop cuire un aliment, non seulement il en résulte que les fibres et certaines des vitamines sont détruites, que d'autres vitamines sont filtrées avec les minéraux et qu'une foule de sous-produits qui causent des allergies sont générés, mais l'aliment perd de son goût, de sa texture et de ses couleurs. La plupart des aliments peuvent être consommés crus ou germés. Si la cuisson est nécessaire, elle doit être modérée. Si l'aliment est cuit dans un liquide, utilisez ce liquide comme bouillon ou encore buvez-le. Pourquoi perdre ces éléments nutritifs dont nous avons tant besoin? Il est préférable de cuire les aliments à la vapeur, de les sauter, de les griller ou de les cuire au four. Même si les viandes grasses de boucherie constituent une bonne source de protéines et que certains individus les trouvent agréables au goût, il faut les utiliser avec modération. Ne les faites pas frire ou ne les flambez pas jusqu'à ce qu'elles deviennent carbonisées. Les gras, lorsqu'ils grésillent, deviennent souvent trop chauds et finissent par brûler en laissant échapper des composantes rances et cancérigènes. De grâce, évitez le noircissement de tout aliment, en particulier les viandes grasses. Laissez une chance à votre corps et évitez ce steak carbonisé.

*Manger des aliments trop cuits.*

# 14

## *Manger trop de corps gras, d'huiles ou de graisses, surtout s'ils sont rances*

Nous avons parlé plus tôt de la nécessité d'utiliser dans notre diète des quantités adéquates d'huile ou de corps gras. Là encore, ce sont les extrêmes qui dérangent. Manger trop d'aliments graisseux ou huileux peut également nous nuire. Des hausses dans les taux de divers lipides et corps gras ingérés sous la forme de triglycérides, lipoprotéines et cholestérol ont été remarquées dans plusieurs cas de maladies. Aussi est-il recommandé d'intégrer à notre diète des quantités adéquates de corps gras, mais il ne faut pas exagérer.

«Mon Dieu! As-tu mangé toute cette pizza au fromage?

— J'ai bien peur que oui. J'ai mangé trop de croustilles mexicaines, de guacamole et de fromage. Ouille!»

Un abus invétéré et excessif de nourritures grasses peut mener à des gonflements et nausées chroniques ou à des douleurs à la poitrine, aux épaules, aux genoux ou au dos. Le syndrome de la nuque ou des épaules tendues, que nous avons tous connu, peut fort bien venir de ce fromage, cet avocat ou ce beurre d'arachide avec lequel nous nous sommes tant délectés tard hier soir. Faisons attention à ces symptômes, nous pourrions avoir des surprises. Les coureurs qui ont souvent les genoux harassés devraient jeter un coup d'œil sur leur diète. Chose certaine, évitons de nous précipiter vers un repas copieux et lourd. Trop de gras dans notre diète peuvent également provoquer une fatigue chronique à cause de leur effet sur nos globules rouges et leurs multiples fonctions. Il faut également considérer l'effet d'un excès d'huile sur notre teint.

COLONEL
CARDIAQUE
POULET

*Manger trop de corps gras, d'huiles ou de graisses, surtout s'ils sont rances.*

# 15

## *Abuser de la consommation d'un même aliment, surtout du sucre*

Il semble que nous ayons tous des préférences quant aux aliments et que nous en choisissions toujours un plus que les autres. Il peut s'agir d'un pain, d'un fruit, d'un fromage ou d'une autre denrée. Nous devons faire attention de ne pas en abuser. En effet, nous pourrions peut-être découvrir que nous développons envers cet aliment que nous aimons tant une allergie. En définitive, nous arriverons peut-être à un point où nous ne le tolérerons plus. Nous risquerions alors de connaître une déception au plan émotif.

Si nous nous surprenons à consommer à intervalles rapprochés un aliment donné, essayons d'évaluer pourquoi, puis de nous en séparer pour un moment. Ensuite, alternons périodiquement cet aliment avec un autre de notre choix. Nous connaîtrons peut-être des symptômes de sevrage qui pourraient indiquer un signe de dépendance ou une possibilité d'allergie. Effectuer une rotation de cet aliment favori avec d'autres comporte beaucoup de mérite et c'est la pratique la plus couramment recommandée.

Il est tellement commun d'abuser du sucre que la plupart d'entre nous subirons des symptômes de sevrage s'il disparaît de notre diète. Par contre, il vaut la peine de tolérer la myriade de symptômes de sevrage afin de nous débarrasser de ses effets dangereux. Commencez dès maintenant et arrêtez de surconsommer de ces aliments que vous croyez tant aimer.

Les aliments sont un peu comme les gens. Si vous en faites un usage excessif, ils feront la même chose avec vous. Prenez note des aliments que vous consommez le plus souvent. Essayez de continuer sans eux. Ensuite, demandez-vous lequel a possédé l'autre? Le ressac de vos abus peut se présenter sous la forme de symptômes très diversifiés. Ne soyez pas surpris.

*Abuser de la consommation d'un même aliment, surtout du sucre.*

# 16

## *Manger pour manger, simplement pour l'occasion, ou pour étouffer un surcroît d'émotions*

Comme très peu des lecteurs de ce petit guide vont jusqu'à s'empiffrer, ces paragraphes peuvent sembler plus superflus. Mais pour ceux d'entre nous qui risquons de le faire, il est bon de nous demander pourquoi nous sommes portés à l'exagération face à un buffet qui nous permet de manger tout ce que nous voulons. Est-ce la liberté, l'idée d'obtenir quelque chose pour rien, le désir de se faire accepter en société, ou quelque chose d'autre? Pourquoi devenons-nous des porcs et pourquoi est-ce seulement à certains moments particuliers? Si nous nous évaluons, nous trouverons peut-être des informations nous concernant qui présentent beaucoup d'intérêt.

Prenez en note le moment où vous vous êtes goinfré et essayez de trouver le quand, le où, le pourquoi, le comment, le quoi et le qui de chacune de vos incartades. Très souvent se développe un modèle de comportement qui nous fera ensuite passer aux actes. Nous pourrions être très près de la solution de notre problème d'obésité. Il nous faut remarquer les périodes où nous mangeons le mieux et avec le plus de modération. C'est possible que la cure soit à la portée de la main. Nos émotions jouent un grand rôle dans nos habitudes alimentaires et celles-ci, en retour, jouent aussi un rôle prépondérant en conditionnant nos émotions. Elles vont main dans la main. Notre corps ne ment pas; apprenez à écouter les conseils qu'il nous prodigue avec amour.

*Manger pour manger, simplement pour l'occasion, ou pour étouffer un surcroît d'émotions.*

# 17

## *Manger trop d'aliments disparates en même temps*

Il semble qu'il y ait un seuil à ne pas franchir quant au nombre d'aliments que notre corps peut dévorer en un seul repas. Un certain nombre de goûts et de saveurs se mêlent bien et se consomment aisément ensemble. Si nous dépassons la limite, le dégât s'installe. Certains aliments semblent mieux s'absorber individuellement alors que d'autres agissent davantage lorsqu'ils font partie d'un mélange.

Il est certain que la prise de conscience du nombre d'aliments que nous consommons en un repas nous aidera à comprendre pourquoi nous nous retrouvons ensuite boursouflés. Bien souvent, nous nous sommes assis devant des buffets de salades contenant 20 ingrédients ou plus. Cornichons, carottes, salades aux raisins secs, tomates, gombos, ananas et fromage bleu ou persillé: voilà bien un exemple de combinaisons qui peuvent semer le désordre dans les entrailles. Faites bien attention à ces mélanges. Remarquez vos réactions, et effectuez des choix simples.

*Manger trop d'aliments disparates en même temps.*

# 18

## *Manger des aliments que nous détestons*

La plupart d'entre nous comptons de ces aliments que nous détestons réellement mais, comme des autorités en la matière les ont déclarés nutritifs, nous les avalons de travers ou encore nous les couvrons d'une substance plus «appétissante» . Certains ajoutent peut-être du jus d'orange ou du beurre d'arachide à une cuillerée de levure de bière. D'autres couvriront les graines de moutardes germées de sauce au fromage. C'est ainsi que se définit tout l'art de la préparation des aliments.

Il semble exister une corrélation entre notre capacité de digérer certains aliments et le goût, l'odeur, la texture  et l'apparence de ces mêmes aliments. Il nous faut bien constater que nos sens sont les contrôleurs réfléchis de nos processus de digestion. Même les aliments les plus nutritifs, s'ils ne nous sont pas présentés d'une façon attrayante, se verront transformés en sous-produits indigestes qui causeront des allergies.

*Manger des aliments que nous détestons.*

# 19

## *Prendre trop de collations*

Toute substance alimentaire que nous consommons en dehors des heures normales de repas peut être appelée une collation. Les collations existent sous plusieurs formes plus ou moins nutritives. Si nous mangeons normalement entre 3 et 4 repas par jour à intervalles réguliers, alors les collations sont ces bouchées que nous mangeons entre les repas. Même si les collations sont nutritives, elles peuvent dérégler notre routine digestive ou la séquence et l'horaire de notre élimination.

En fait, si nous en mangeons trop souvent, sans les espacer régulièrement, elles causeront une élimination incomplète, des crampes et des ballonnements. Dans ce cas, il serait mieux d'ajouter un petit repas à notre alimentation quotidienne plutôt que de prendre occasionnellement une collation irrégulière. L'idée, c'est d'être cohérent. Cela ne veut pas dire de manger la même collation à chaque jour, mais seulement de manger la même quantité, environ au même moment. Il est mieux de manger systématiquement 6 petits repas par jour que d'en manger 3 une journée et 6 le lendemain. Voilà la clé. Avoir un rythme et être cohérent.

*Manger trop de collations.*

## 20
## *Manger au volant de son véhicule*

Il nous est tous arrivé, lorsque nous étions au volant de notre voiture, d'arrêter à un feu rouge, de regarder à gauche ou à droite pour ensuite remarquer quelqu'un qui consommait une énorme bouchée de quelque délice rapide. Nous avons peut-être, à certains moments, commis cette erreur nous-mêmes.

Imaginez ce qui arriverait si quelqu'un se glissait soudainement devant nous, nous obligeant fortuitement à bloquer nos freins. En plus du dégât évident qui en résulterait et des mots qui nous échapperaient, nous trouverions peut-être que notre précieux sang se précipite vers notre cœur, nos poumons, notre cerveau et nos muscles. Ceci risquerait de ne plus en laisser pour notre estomac ou le reste de notre système digestif. L'aliment accidentellement avalé finirait par avoir mauvais goût, serait mal digéré et peut-être même vomi.

Le simple fait de conduire sans frôler d'accident est en lui-même un facteur de tension psychologique assez fort pour nuire au fonctionnement normal de notre digestion. Il est mieux pour nous de ne pas essayer d'effectuer deux fonctions importantes à la fois. Deux fonctions mal exécutées sont bien moins valables que deux fonctions bien exécutées et qui présentent moins de danger. Mangez puis conduisez ou conduisez et ensuite mangez ou, mieux encore, reposez-vous entre les deux. Il n'est pas nécessaire de se dépêcher pour être malade.

*Manger au volant de son véhicule.*

# 21

## *Manger trop d'aliments qui occasionnent des gaz*

Il est vrai de penser que les ballonnements que nous connaissons tous sont attribuables à une faiblesse de la fonction digestive. La plupart d'entre nous cédons malheureusement aux 20 habitudes précédentes et les ballonnements sont là pour le leur rappeler. Mais, en plus de toutes ces erreurs, il existe des aliments qui, lorsque consommés modérément, produisent des gaz. Certains de ces aliments nous sont bien connus, d'autres le sont moins.

Plusieurs de ces aliments communément producteurs de ballonnements, telle la fève, contiennent du soufre, de l'azote ou des composés carboniques qui deviennent explosifs lorsqu'ils atteignent certaines régions de nos intestins qui contiennent des bactéries. D'autres déclenchent des réactions en chaîne sur nos parois intestinales et provoquent une action péristaltique excessive; de ce fait, l'air est propulsé vers l'ouverture la plus proche.

Ces aliments pourraient devenir nos ennemis, car beaucoup trop de gens en mangent de façon excessive. Un excès chronique de flatulences peut ultérieurement provoquer plusieurs problèmes, de la diverticuloses à l'hernie hiatale. Ne badinez pas avec ce problème. En plus de créer de la tension et de l'embarras, il pourrait bien être la cause de plusieurs mauvaises conditions de santé.

*Manger trop d'aliments qui occasionnent des gaz.*

# 22

## *Manger par commodité,*
## *sans souci pour la qualité*

Il peut nous sembler plus rapide d'arrêter à n'importe quel casse-croûte et de prendre une bouchée en vitesse plutôt que de nous détendre et de manger, plus confortablement installés, un repas bien préparé à la maison ou au travail; mais c'est une opinion erronée. Si nous effectuons un petit effort à la maison, nous pouvons préparer et substituer à une commodité de mets de consommation de masse, un repas frais, nutritif et de haute qualité. C'est indéniablement moins cher. Il est certain qu'en mangeant des fruits frais, des légumes, des noix ou des graines, nous comblerons nos besoins nutritifs.

*Manger par commodité, sans souci pour la qualité.*

# 23

## *Ingurgiter sans avoir bien mastiqué*

Nous avons certainement tous entendu parler de l'importance d'une bonne mastication, mais voyons plutôt pourquoi.

a. La mastication aide à déclencher et à stimuler la plupart des réactions digestives de l'homme.

b. La mastication décompose les aliments en particules plus faciles à transformer.

c. La mastication aide à satisfaire nos centres émotifs reliés au goûter et à l'odorat.

d. La mastication nous laisse le temps d'avaler doucement sans absorber d'air.

e. La mastication stimule nos gencives et nos dents et stimule également notre processus de sécrétion antibactérielle.

f. La mastication nous empêche de manger trop vite; mastiquer prend du temps.

g. La mastication permet à notre corps de savoir quels sont les aliments pour lesquels il doit se préparer.

h. La mastication peut empêcher de trop manger.

Une bonne mastication, grâce à sa capacité de mêler les aliments, est tellement essentielle qu'elle peut à elle seule prévenir plusieurs troubles digestifs inutiles. Essayons de mastiquer 50 fois une bouchée moyenne d'un aliment et nous en connaîtrons le goût, l'odeur et même plus. Si nos mâchoires nous font mal, il est possible que nous mastiquions trop rapidement.

Mastiquons bien et avec aisance. Remercions Dieu pour ce processus simple mais bienfaisant. Plus vous mastiquez, plus vous vous rapprochez de vous-mêmes.

*Ingurgiter sans avoir bien mastiqué.*

# 24

## *Boire à grandes gorgées*

Nous nous souviendrons peut-être de toutes les fois où, lorsque nous étions enfants, nous avalions notre lait ou autre liquide à grandes gorgées. Il s'agit là d'un moyen sûr de mal digérer certains liquides, souvent nous pouvons y dénoter un signe de hâte; un signe qui ne conduit pas à une déglutition et une transformation adéquates. Comme pour la mastication, il faut boire plus lentement. Si nous ne le faisons pas, non seulement nous nuirons à des processus de digestion importants, mais nous passerons à côté de tous ces goûts merveilleux. De grâce, sirotez.

*Boire à grandes gorgées.*

# 25

## *Boire trop pendant les repas*

Si nous sommes très observateurs, peut-être aurons-nous remarqué que nous devenons très assoiffés lors de certains repas. Cette habitude, si elle est mal comprise, pourrait devenir malsaine. Il apparaît que certains aliments, ou certaines quantités d'aliments, stimulent les pôles d'attraction de notre soif et provoquent un fort besoin de liquide. Il est possible que certains éléments, comme les graisses, les sucres ou les protéines contenus dans nos aliments, nécessitent, lorsqu'ils sont mangés en quantité excessive, un liquide pour leur dilution. N'avons-nous pas essayé de manger une quantité excessive de pizza, de crème glacée, de chocolat ou de maïs soufflé sans liquide? Notre corps essaie peut-être de nous prévenir. Il peut être justifiable de boire en grande quantité dans ces circonstances, mais il serait probablement plus sain de consommer ces aliments riches avec modération et ainsi ne pas provoquer un besoin pour leur dilution toxique.

Certains croient que nous n'avons pas besoin d'ajouter des liquide à nos repas. C'est probablement plus proche de la vérité que de consommer en buvant des quantités excessives de liquide. Mais une tranche de pain grillée de laquelle l'eau a été enlevée ne subira aucun dommage si elle est avalée avec une petite gorgée d'eau. Prendre de grandes lampées de liquide alors que nous mangeons modérément dilue partiellement et momentanément nos sécrétions digestives; et cela peut constituer un danger à certaines étapes de la digestion, mais certains aliments accueilleront une gorgée d'un liquide quelconque comme une amie. Buvons nos six verres d'eau quotidiennement entre les repas et jouissons de notre fontaine de Jouvence.

*Boire trop pendant les repas.*

# 26

## *Surconsommer les aliments dont nous abusons communément*

a.  Les sucres et l'alcool;

b.  Les farines enrichies;

c.  Le lait ou le fromage, surtout préparés;

d.  Certaines viandes;

e.  Les tomates;

f.  Le maïs;

g.  Les frites et les chips;

h.  La crème glacée;

i.  Le chocolat;

j.  Les boissons gazeuses;

k.  ....

Si nous faisons un usage excessif de l'un ou plus d'un de ces aliments communs, nos processus physiques pourraient s'en trouver aggravés. Ils pourraient même causer des réactions qui susciteraient des allergies. La modération et la rotation sont les clés qui nous éviteront le pire. Ne vivez pas pour manger, mais plutôt mangez pour vivre. Si nous ne nous consacrons pas un peu de temps dès maintenant, nous aurons à le faire tôt ou tard. Comme nous le savons tous, il est rare que ce soit plus plaisant de le faire lorsque nous y sommes obligés, n'est-ce pas?

Les 26 abus les plus fréquents que nous venons de décrire peuvent être utilisés comme guides et conseils pour une meilleure nutrition en plus de nous offrir des aperçus plus profonds de nous-mêmes. La plupart d'entre nous commettons plus d'un de ces abus. Plus nous en commettrons, plus ce sera apparent. Il est recommandé de relire et de réviser quotidiennement ces abus et d'observer comment ils reviennent à chaque jour s'inscrire dans notre mode de vie. Nous devrions alors essayer d'en corriger ou d'en éliminer un ou plus par semaine. Les résultats deviendront vite évidents. Il est certain qu'un peu de patience et de bon sens seront nécessaires afin de simplement les comprendre. Ne sous-estimez pas leurs effets par erreur. Ne devenez pas la proie des: abus, abus, excuses, excuses.

Maintenant, allons faire un tour du côté de notre tube digestif et voyons comment notre corps nous parle et nous demande: «Que manges-tu?»

*Surconsommer les aliments dont nous abusons communément.*

# Chapitre III

# La relation au tube digestif

Nous voici prêts à voyager dans une contrée rarement répertoriée. Un domaine où les physiologistes respirent, mais où le profane ne cesse de s'étonner. Pourquoi est-il si important de maintenir notre tube digestif en opération optimale? Parce que le tube digestif est un système important; un système tellement significatif que, s'il ne fonctionne pas en douceur et avec rythme, il pourrait produire un éventail de symptômes cliniques ou de malaises que nous ressentons communément à tous les jours. Il s'agit là de notre corps qui nous parle. Ces malaises si ennuyeux sont trop souvent causés par des irritations intenses ou chroniques de cet important tube. Ces irritations sont maintes fois déclenchées par les 26 abus diététiques ou nutritionnels résumés au chapitre II.

Dans les quelques pages qui suivent, vous trouverez un diagramme et un tableau qui démontrent de façon magnifique comment les irritations de notre tube digestif peuvent donner naissance à ces malaises que nous ressentons communément à chaque jour. Ce diagramme et ce tableau dignes d'éloges sont extraits de la «Ciba Collection of Medical Illustrations, vol. 3

Digestive System Part II Lower Digestive Tract» par Frank H. Netter M.D. 1962. Jetons un coup d'œil aux réflexes viscéro-somatiques et viscéraux-viscéraux de l'homme, leur origine, leur effet et leur signification clinique. Pardonnez-nous ce jargon médical.

Comme le montrent le diagramme et le tableau des pages suivantes, notre tube digestif occasionne des réflexes dans la plupart des parties de notre corps. Ces connexions de réflexes sont si extraordinaires qu'elles continuent de stupéfier les plus grands esprits. Il est certain que nous devons noter leur influence sur les différents muscles, la peau, les organes internes, les mécanismes sensitifs et autres.

La plupart de ces réflexes (viscéraux) du tube digestif se font par l'entremise des portions sympathique et neuro-végétative de notre système nerveux. Il est intéressant de noter et de se souvenir que nos émotions et nos états d'esprit régularisent le comment et l'endroit où ces réflexes se manifestent. Veuillez retourner au diagramme qui fait suite à l'abus numéro 2.

# Tube digestif

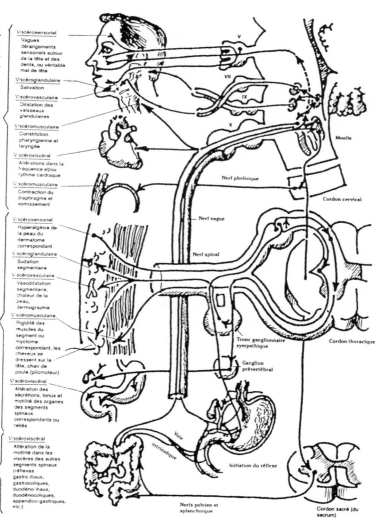

Via le système neurovégétatif ou parasympathique

Viscérosensoriel
Vagues dérangements sensorels autour de la tête et des dents, ou véritable mal de tête

Viscéroglandulaire
Salivation

Viscérovasculaire
Dilatation des vaisseaux glandulaires

Viscéromusculaire
Constriction pharyngienne et laryngée

Viscéroviscéral
Altérations dans la fréquence et/ou rythme cardiaque

Viscéromusculaire
Contraction du diaphragme et vomissement

Via le système orthosympathique ou sympathique

Viscérosensoriel
Hyperalgésie de la peau du dermatome correspondant

Viscéroglandulaire
Sudation segmentaire

Viscérovasculaire
Vasodilatation segmentaire, chaleur de la peau, dermographie

Viscéromusculaire
Rigidité des muscles du segment ou myotome correspondant, les cheveux se dressent sur la tête, chair de poule (pilomoteur)

Viscéroviscéral
Altération des sécrétions, tonus et motilité des organes des segments spinaux correspondants ou reliés

Via le système parasympathique

Viscéroviscéral
Altération de la motilité dans les viscères des autres segments spinaux (réflexes gastro-iliaux, gastrocoliques, duodéno-iliaux, duodénocoliques, appendico-gastriques, etc.)

V

VII

IX

X

Moelle

Nerf phrénique

Cordon cervical

Nerf vague

Nerf spinal

Tronc ganglionnaire sympathique

Cordon thoracique

Ganglion prévertébral

Voie intrinsèque

Initiation du réflexe

Nerfs pelvien et splanchnique

Cordon sacré (du sacrum)

| | Réflexes | Origine | Effet | Signification clinique |
|---|---|---|---|---|
| **VISCÉROSOMATIQUES** | Viscéro-musculaire | Organe de l'abdomen défaillant | Contraction des muscles volontaires et des muscles d'érection pileuse innervés par le segment pinéal correspondant; aussi muscles du cou et du larynx | garde involontaire suggère qu'un processus irritant se cache |
| | Viscéro-glandulaire | Idem | Sueurs dans la région des dermatomes correspondants | Aide à l'identification du niveau d'implication viscérale |
| | Viscéro-vasculaire | Idem | Dilatation des vaisseaux sanguins, dermographie, impression de chaleur dans le dermatome correspondant | Aide à l'identification du niveau d'implication viscérale |
| | Viscéro-sensoriel | Idem | Hyperalgésie dans les dermatomes correspondants | Explique, lorsqu'il y a absence de distension, la sensibilité et l'intolérance aux vêtements serrés |
| | Gastro iléocolique, duodéno-iléocolique | Les aliments entrent dans l'estomac et le duodénum | Stimulation des motilités iléaques et coliques | Explique le réflexe de défécation «post-café» ; détresse postprandiale (après le repas) dans le «syndrome du côlon irritable» |
| **VISCÉRO-VISCÉRAUX** | Oesophago-salivaire, gastro-salivaire | Oesophage et estomac | Sialorrhée paroxysmale | Indice d'un néoplasme de l'œsophage |
| | Entéro-gastrique | Distension ou irritation du canal entérique | Inhibition de l'estomac, spasme antral | Un des mécanismes de l'indigestion; «crise du foie», nausée |
| | Cologastri-que | Distension ou irritation du côlon | Idem | Instigateur de la détresse épigastrique lors du syndrome du côlon irritable; vomissement lors de l'appendicite |
| | Appareil urinaire | Maladie de l'appareil urinaire | Inhibition, dilatation du boyau | Les symptômes abdominaux aigus peuvent être d'origine génito-urinaire |
| | Viscéro-cardiaque | Maladie des organes gastro-intestinaux | Diminution de l'écoulement coronarien, changements dans la fréquence et le rythme cardiaque | Dérangements du myocarde (la tachycardie, bradycardie ou l'arythmie peuvent se produire lors de désordres gastro-intestinaux) |
| | Viscéro-pulmonaire | Idem | Spasme des bronchioles | Explique la difficulté de respirer lors du syndrome du côlon irritable |

# Chapitre IV

# CONCLUSION

Nous voici maintenant presque rendus à la fin de notre périple. Espérons que personne n'a été offensé par ce voyage ou par les sujets couverts. Il est important de constater les myriades de connexions qui se font à l'intérieur des portions mécaniques, chimiques et psychologiques de l'être humain. L'une de ces portions, le tube digestif de l'homme, a été sous-estimée par nos systèmes éducatifs et sociaux. Dans certains cas, elle a même été littéralement ridiculisée. Il est extrêmement important de lui redonner le respect qui lui est dû, d'autant plus que la plupart d'entre nous commettons quotidiennement les pires gaffes en ce qui concerne nos habitudes d'alimentation et d'élimination.

Même si certains d'entre nous sont conscients des aliments susceptibles d'améliorer leur état de santé, plusieurs n'ont aucune conscience des modèles d'habitudes et d'abus alimentaires qui se manifestent dans leur vie de chaque jour. Ces abus suffisent souvent à contrer les effets bénéfiques des aliments les plus sains. Notre corps possède une faculté d'information qui est sûrement une création incroyable. Il nous dit constamment ce que nous faisons et dans quelle direction nous devrions aller. Il exprime avec beauté toutes les expériences de la vie et nous guide de ses bienfaits. Si nous pouvions seulement apprendre à l'écouter lorsqu'il parle de notre nutrition physique, chimique et psychologique. De quoi nourrir l'esprit!

# CHEZ LE MÊME ÉDITEUR :

Une meilleure façon de vivre *Mandino, Og*
Une merveilleuse obsession *Douglas, Loyd C.*
Une puissance infinie pour une vie enrichie *Murphy, Joseph*
Une puissance miraculeuse attire des richesses infinies
    *Murphy, Joseph*
Université du succès (L'), tomes I, II et III *Mandino, Og*
Vente : Étape par étape (La) *Bettger, Frank*
Vente : Une excellente façon de s'enrichir (La) *Gandolfo, Joe*
Vie de Dale Carnegie (La) *Kemp, Giles et Claflin, Edward*
Vie est magnifique (La) *Jones, Charles E.*
Vivez en première classe *Thurston Hurst, Kenneth*
Vivre c'est donner *Yager, Birdie et Wead, Gloria*
Votre beauté en couleurs *Jackson, Carole*
Votre désir brûlant *Atkinson, W.W. et Beals, Edward E.*
Votre droit absolu à la richesse *Murphy, Joseph*
Votre foi totale *Atkinson, W.W. et Beals, Edward E.*
Votre force intérieure = T.N.T. *Bristol, Claude M. et*
    *Sherman, Harold*
Votre guide quotidien 1991 *MacIntire, Cord*
Votre passe-partout vers la richesse *Hill, Napoleon*
Votre plus grand pouvoir *Kohe, J. Martin*
Votre pouvoir personnel *Atkinson, W.W. et Beals, Edward E.*
Votre puissance créatrice *Atkinson, W.W. et Beals, Edward E.*
Votre subconscient et ses pouvoirs *Atkinson, W.W. et*
    *Beals, Edward E.*
Votre volonté de gagner *Atkinson, W.W. et Beals, Edward E.*

## CASSETTES

Après la pluie, le beau temps ! *Schuller, Robert H.*
    *Narrateur : Jean Yale*
Assurez-vous de gagner *Waitley, Denis*
    *Narrateur : Marc Fortin*
Comment attirer l'argent *Murphy, Joseph*
    *Narrateur : Mario Desmarais*
Comment contrôler votre temps et votre vie *Lakein, Alan*
    *Narrateur : Gaétan Montreuil*
Comment se fixer des buts et les atteindre *Addington, Jack E.*
    *Narrateur : Jean Fontaine*
De l'échec au succès *Bettger, Frank*
    *Narrateur : Robert Richer*
Fortune à votre portée (La) *Conwell, Russell H.*
    *Narrateur : Henri Bergeron*
Homme est le reflet de ses pensées (L') *Allen, James*
    *Narrateur : Henri Bergeron*
Je vous défie ! *Danforth, William H.*
    *Narrateur : Pierre Bruneau*

Magie de croire (La) *Bristol, Claude M.*
*Narrateur : Julien Bessette*
Magie de penser succès (La) *Schwartz, David J.*
*Narrateur : Ronald France*
Magie de voir grand (La) *Schwartz, David J.*
*Narrateur : Marc Bellier*
Mémorandum de Dieu (Le) *Mandino, Og*
*Narrateur : Roland Chenail*
Plus grand vendeur du monde (Le), 1$^{re}$ partie *Mandino, Og*
*Narrateur : Guy Provost et Marc Grégoire*
Plus grand vendeur du monde (Le), 2$^e$ partie, suite et fin
*Mandino, Og*
*Narrateur : Guy Provost et Marc Grégoire*
Puissance de votre subconscient (La), parties I et II
*Murphy, J.*
*Narrateur : Henri St-Georges*
Réfléchissez et devenez riche *Hill, Napoleon*
*Narrateur : Henri Bergeron*
Rendez-vous au sommet *Ziglar, Zig*
*Narrateur : Alain Montpetit*
Votre plus grand pouvoir *Kohe, J. Martin*
*Narratrice : Christine Mercier*

Cartes de motivation – Vertes
Cartes de motivation – Bleues
Cartes de motivation et cassettes : taxe en sus

*En vente chez votre libraire ou à la maison d'édition*
*Prix sujets à changement sans préavis*

*Si vous désirez obtenir le catalogue de nos parutions*
*il vous suffit de nous écrire aux éditions*
*Un monde différent ltée,*
*3400, boulevard Losch, bureau 8*
*Saint-Hubert (Québec), Canada, J3Y 5T6*
*ou de composer le (514) 656-2660*

Achevé d'imprimer
sur les presses de
Les Éditions Marquis
Montmagny (Québec)
en mars 1991

Imprimé sur papier alcalin